OLIVI
l'ours savant

Illustrations de Bernice Myers

DEUX
COQS
D'OR

Quelle élégance ! Avec son chapeau melon et sa petite ombrelle à pompon, Olivier, l'Ours savant, est de toute beauté. Il se promène sur la piste du cirque pour se faire admirer.

Et lorsqu'il tient en équilibre sur son fil, les spectateurs l'applaudissent.

3

Quand la représentation est terminée, l'Ours
savant rentre chez lui.

Dans la forêt, une feuille rousse lui tombe sur le nez. « L'automne est arrivé, je vais me coucher », décide Olivier.

Pour les ours, le temps est venu de dormir jusqu'au printemps. Mais d'abord…

... il faut faire des provisions pour l'hiver. Chez la pâtissière, Olivier choisit un gros baba et des meringues parfum chocolat.

Chez le maraîcher, il demande trois kilos de pommes. « J'ai aussi des bananes délicieuses et de très beaux choux, dit le marchand. En voulez-vous ? »

À la crémerie, Olivier achète un petit pot de miel,
un gros morceau de gruyère et quatre litres de lait ;
puis il s'en va.

La crémière et son chat le rappellent :
« Monsieur ! Votre ombrelle ! »
Les passants se retournent. Mais Olivier n'entend rien.

Il est pressé de rentrer chez lui et de ranger dans
son garde-manger lait, pommes, choux, fromage,
gâteaux et pot de miel.

Sur la table, Olivier a mis les dernières fleurs de la saison et sa vaisselle la plus fine. Son repas est fort appétissant : un vrai festin de roi !

L'Ours savant sourit et se lèche les babines. Quel gourmand !

Le repas terminé, ce coquet d'Olivier se prépare
à aller au lit ; il brosse son manteau de poils bruns, ses
ongles, ses dents et met sa plus belle chemise de nuit.
La toilette dure longtemps…

C'est que l'hiver va être long...
L'Ours savant remonte son horloge
qui indique les saisons. Quand la
petite aiguille aura tourné jusqu'au
« P », ce sera le printemps ; l'horloge
sonnera. Olivier pourra s'éveiller.

L'aiguille tourne. Dehors, il neige, il vente.

Sous la table, un petit écureuil grignote les miettes du repas. Mais Olivier n'entend rien : bien au chaud sous ses couvertures, il ronfle en souriant.

Bing ! Un rayon de soleil a frappé l'horloge qui se met à sonner. La table en sursaute, troublée dans sa tranquillité. C'est le printemps ! Debout, Olivier !

Vite, un bain ! Olivier chante en faisant sa toilette.
Il frotte si fort que les bulles de savon volent autour
de lui.

L'Ours savant est de bonne humeur : il va retrouver le cirque ! Il choisit sa cravate la plus gaie, met son joli gilet et son chapeau melon. Une dernière pirouette devant la glace…

… et hop ! le voilà sur le pas de sa porte.
« Que la nature est belle ! » s'écrie-t-il.

Les feuilles sont vertes et la campagne est pleine
de fleurs. Il est temps de partir… Mais Olivier hésite :
il lui semble qu'il lui manque quelque chose. Il réfléchit
un moment, puis il s'exclame :
« Ciel ! mon ombrelle ! »

Quel ennui ! Sans elle, il risque fort de tomber pendant son numéro de cirque. Pas moyen de s'équilibrer ! Olivier cherche partout chez lui, puis il file à la ville.

« Vous n'auriez pas vu mon ombrelle ? demande le pauvre Ours à de petits enfants.

– Interrogez le policier, répondent-ils. Il sait tout !
– S'il vous plaît, monsieur l'agent, dit Olivier, vous
n'auriez pas vu…
– Allez questionner le chat », répond le policier qui est
très occupé.

Le chat de la crémière guette Olivier au coin de la rue. Il a un petit air malicieux.

« Veux-tu ton ombrelle, Ours ? dit-il en riant. Cela fait six mois qu'elle t'attend.

– Où ça ? demande Olivier, étonné.

– Chez la crémière, étourdi ! »

Olivier pousse un soupir de soulagement : sa précieuse ombrelle est retrouvée ! Il va pouvoir retourner au cirque…

Et notre Ours savant, plus adroit, plus gracieux, plus élégant que jamais, danse sur sa corde. Le public du cirque l'applaudit. Quel succès ! Tout le monde crie : « Bravo, Olivier ! »